Collection folio junior

dirigée par
Jean-Olivier Héron
et Pierre Marchand

Deux ouvrages ont contribué à rendre **Stevenson** célèbre en France : *L'Ile au trésor* et *L'Étrange Cas du docteur Jekyll et de M. Hyde.* Cependant, il est aussi l'auteur de nombreux autres romans et nouvelles, tels *Le Maître de Ballantrae, La Flèche noire, Voyage avec un âne dans les Cévennes, Le Naufrageur...* et *Le Diable dans la bouteille* que vous allez lire maintenant.

Robert Louis Balfour Stevenson est né en Écosse, à Édimbourg, le 13 novembre 1850. Comme son père, il devient ingénieur. Mais, étant de faible constitution, il doit abandonner ce métier : il suit des cours de droit, devient avocat... et n'utilisera jamais son titre, car la chicane le rebutait !

C'est alors qu'il commence à voyager à la recherche d'un climat plus favorable à sa santé toujours fragile.

On le voit en Allemagne, en France où il rencontre Mrs. Osbourne qu'il épousera en 1880, sur les bords de la Méditerranée, en Amérique, dans les mers du Sud.

Il finit par se fixer à Vailima, dans l'archipel des Samoa, et passe là les quatre dernières années de sa vie, au milieu des indigènes. C'est de cette époque que datent ses œuvres les plus importantes.

Le 3 décembre 1894, il est terrassé par une crise d'apoplexie : il est enterré au sommet du pic Vaea, d'où sa tombe domine le Pacifique.

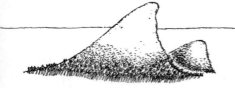

Morgan a débuté au quotidien *Ouest-France,* en Bretagne, comme dessinateur de presse. Il n'y a pas très longtemps, puisqu'il est né en 1948. Puis il a travaillé pour de nombreux journaux : *Le Nouvel Os à moelle,* où il a fait des dessins humoristiques, *Le Matin...*
Membre d'« Encre libre » (association de dessinateurs de presse), il participe à la création de chaque mensuel. Morgan a publié ses premiers dessins pour la jeunesse dans la collection Folio Junior, en illustrant l'ouvrage de Rémi Laureillard *Fred le nain et Maho le géant.*

Patrick Couratin est l'auteur de la couverture du *Diable dans la bouteille.* Il est né lui aussi en 1948, en Touraine, mais a étudié à l'école des Beaux-Arts de Varsovie, en Pologne.
Il a publié des albums chez Harlin Quist, où il s'occupait également de la conception des livres.
Actuellement, Patrick Couratin collabore régulièrement à de nombreux journaux et magazines.

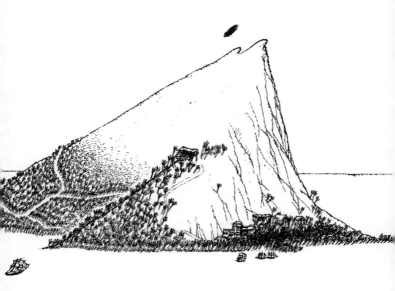

Robert Louis Stevenson

Le diable dans la bouteille

Traduit de l'anglais par
Charles-Albert Reichen

Illustrations de Morgan

La guilde du livre
Lausanne

Il y avait une fois, dans l'île de Hawaii, un homme que j'appellerai Keawe. Ce n'est pas là son vrai nom, mais comme il est encore en vie, son identité doit rester secrète. Il était né non loin de Honaunau, lieu où les ossements de Keawe le Grand reposent au fond d'une mystérieuse caverne. Or, mon Keawe à moi n'était pas un prince. Pauvre, mais brave et énergique, il lisait et écrivait comme un maître d'école et, par ailleurs, c'était un marin accompli. Il avait servi quelque temps à bord des vapeurs de l'Archipel et commandé une baleinière au large des côtes de Hamakua. Mais avec le temps, un grand désir lui était venu de voir le vaste monde et de visiter les cités étrangères. Aussi s'embarqua-t-il un beau jour sur un paquebot en partance pour San Francisco.

C'est une bien belle ville que San Francisco ! Elle a un port magnifique, et les gens qui l'habitent sont presque tous riches. En particulier, on y remarque certaine colline littéralement couverte de palais. Keawe allait s'y promener de temps à autre, faisant sonner ses dollars dans sa poche et contemplant avec plaisir les belles demeures qui se dressaient à gauche et à droite.

« Que ces maisons sont belles, pensait-il, et combien heureux doivent être les gens qui les habitent ! Eux au moins ne se font pas de souci pour l'avenir ! »

Il retournait cette pensée dans son esprit lorsqu'il aperçut, droit devant lui, une villa qui était, certes, plus petite que bien d'autres, mais remarquablement finie, si mignonne, si jolie qu'on eût dit une maison de poupée.

Les escaliers qui conduisaient à cette villa brillaient comme de l'argent et les plates-bandes du jardin faisaient l'effet d'autant de guirlandes, tandis que les fenêtres étincelaient comme des diamants. Keawe s'arrêta court, tout surpris d'une telle perfection et, comme il s'arrêtait, il aperçut un homme qui l'épiait à travers un carreau. Si transparente était la vitre que Keawe distinguait l'homme tout comme on voit un poisson nager dans les eaux claires d'un atoll. Il n'était plus tout jeune ; il avait la tête chauve, la barbe noire, et son visage exprimait un grand chagrin. De temps à autre, il donnait l'impression de soupirer profondément. En vérité, si Keawe regardait l'homme avec envie, l'homme regardait Keawe avec une envie non moins grande.

Soudain, Keawe vit l'homme se dérider et esquisser un sourire. Il fit un petit signe de tête et, d'un geste, invita Keawe à entrer, s'avançant à sa rencontre jusque sur le pas de la porte.

— N'est-ce pas que ma maison est belle, commença l'homme, et puis, après un profond soupir : Désirez-vous la visiter ? proposa-t-il.

Alors il fit à Keawe les honneurs de son logis, l'escorta de chambre en chambre, de la cave jusqu'aux combles et il n'y avait rien en ce lieu enchanteur qui ne fût absolument parfait. Keawe, d'étonnement, en restait bouche bée.

— Pour sûr, déclara-t-il enfin, vous avez là une bien belle maison. Si je vivais dans un séjour pareil, je passerais toutes mes journées à rire et à chanter. Comment se fait-il donc que vous soupiriez si fort ?

L'homme répliqua :

— Il n'y a pas de raison pour que, vous aussi, vous ne deveniez propriétaire d'une demeure comme la mienne, ou peut-être même plus belle, si le cœur vous en dit ! Vous avez de l'argent, je suppose ?

— J'ai cinquante dollars, répondit Keawe, mais une maison comme celle-ci coûte certainement beaucoup plus.

L'homme parut s'absorber dans un calcul de tête. Emergeant de sa méditation, il dit enfin :

— Je regrette que vous n'ayez pas plus d'argent, car cela pourrait vous causer des ennuis dans l'avenir, mais, tant pis ! donnez-moi vos cinquante dollars et elle sera à vous.

— La maison ? A moi ?

— Non ! Pas la maison, mais la bouteille ! Il faut en effet vous dire que, si riche et si prospère que je vous paraisse, toute ma fortune, cette maison et ces jardins me viennent d'une bouteille pas plus grosse qu'un flacon de poche. Tenez, la voilà !

Sur ces mots, il ouvrit un placard verrouillé et en sortit une bouteille ventrue à long col ; le verre en était blanc comme du lait et irisé comme un arc-en-ciel. A l'intérieur, on voyait quelque chose de vague qui se mouvait, telle une ombre projetée par un feu sur le mur d'une caverne.

— Voici la bouteille !

Keawe se mit à rire, incrédule.

— Vous ne me croyez pas, dit l'homme. Tenez, prenez-la, et essayez de voir si vous pouvez la casser.

Alors Keawe saisit la bouteille et la jeta à plusieurs reprises sur le dallage. Mais, toutes les fois, elle rebondissait comme une balle d'écolier, sans avoir subi le moindre dommage.

Fatigué de ce jeu, Keawe s'écria :

— Par ma foi, c'est là chose bien étrange car, si j'en crois ma vue et le témoignage de mes mains, cette bouteille ne peut être que de verre.

— Elle est bel et bien de verre, répliqua l'homme avec de plus gros soupirs que jamais, mais d'un verre qui a été fondu dans les flammes de l'enfer. En cours de fusion, un diable a été enfermé dedans et c'est lui qui fait cette ombre que vous voyez s'y mouvoir. C'est tout au moins ce que je suppose. Quoi qu'il en soit, tout homme qui achète cette bouteille a les pouvoirs de ce diable à sa disposition et tout ce qu'il désire : amour, gloire, argent, maisons, cités même et pays, tout est à lui sitôt qu'il le commande. Naguère, Napoléon possédait cette bouteille et c'est pourquoi il est devenu le maître du monde, mais, à la fin, il l'a vendue et alors ç'a été la chute, Waterloo, Sainte-Hélène ! Le capitaine Cook a eu, lui aussi, cet objet en sa possession et c'est ainsi qu'il a pu découvrir tant et tant d'archipels ; mais, à son tour, il a été obligé de le vendre et est mort assassiné à Hawaii. Sitôt en effet que vous l'avez vendue, la puissance et la protection de la bouteille se retirent de vous et, si vous ne vous contentez pas de ce qu'elle vous a donné, alors le malheur vous guette !

— Et pourtant, vous parlez de la vendre ? interrogea Keawe.

— J'ai tout ce que je désire, répliqua l'homme, et je me fais vieux à présent. Il n'y a qu'une chose dont soit incapable le diable de la bouteille : il ne peut prolonger la vie d'un homme, et, pour ne rien vous cacher, pour agir avec vous en toute franchise, je dois vous prévenir que cette bouteille présente un gros inconvénient. Si son possesseur vient à mourir avant d'avoir pu la vendre, il va tout droit en enfer où des supplices éternels lui sont réservés.

— Oh, oh ! c'est là, par ma foi, un sérieux

inconvénient. Dieu me garde de toucher à cet objet. J'aime autant me passer de maison. Mieux vaut être pauvre dans ce monde et riche dans l'autre !

— Sapristi ! Comme vous prenez le mors aux dents ! Un peu de calme, jeune homme ! Qui vous dit que vous deviez garder cette bouteille jusqu'à votre dernier soupir ! Vous pouvez bien vous servir un certain temps de la puissance du démon et, dès que vous n'en aurez plus besoin, revendre la bouteille à quelqu'un d'autre, comme je me propose de vous le faire, à vous. Après cela, vous terminerez vos jours en toute tranquillité.

Keawe n'était pas très convaincu. Il observa :

— Il y a deux choses qui me frappent dans cette affaire : la première, c'est que je vous vois toujours soupirer comme une fille énamourée, et la seconde, c'est que vous ne semblez pas vouloir bien cher de votre bouteille.

— Ne vous ai-je pas déjà expliqué la cause de mes soupirs. Ma santé n'est plus ce qu'elle était et, comme vous l'avez dit vous-même, mourir et s'en aller en enfer est, pour quiconque, une bien triste aventure. Quant à la raison pour laquelle je vends cette bouteille si bon marché, il y a là une chose que je dois vous expliquer. Autrefois, lorsque Lucifer apporta cet objet sur la terre, il le vendit à un prix très élevé. Simon le Magicien ne l'obtint qu'après avoir déboursé l'équivalent de plusieurs millions de dollars. Or, sachez-le bien, cette bouteille ne peut être vendue qu'à perte. Si vous la vendez même au prix coûtant, elle vous revient sans faute, tout comme le boomerang de l'Australien à son maître. Ainsi s'explique-t-on que le prix en ait décru au cours des siècles et que cette bouteille soit devenue remarquablement bon marché à l'heure actuelle. Pour ma part, je l'ai acquise d'un de mes voisins pour quatre-vingt-dix dollars seulement. Je pourrais la revendre pour quatre-vingt-neuf dollars quatre-vingt-dix-neuf cents, mais pas un cent de plus car, infailliblement, l'objet me reviendrait dans les mains. Et maintenant, il y a encore deux autres ennuis : d'abord, lorsque vous offrez pareil trésor pour quatre-vingts et quelques dollars, les gens vous prennent pour un mauvais plaisant et ensuite... Oh bien ! ce n'est pas la peine d'en parler tout de suite, et je n'ai pas besoin d'aborder le sujet. Rappelez-vous seulement que vous ne pouvez la vendre que contre espèces sonnantes et trébuchantes.

— Et comment puis-je savoir que tout ceci est vrai ?

— En faisant une petite expérience. Donnez-moi vos cinquante dollars, prenez la bouteille et exprimez le désir de retrouver vos cinquante dollars dans votre poche. Si votre vœu n'est pas exaucé, je vous donne ma parole d'honneur que je dénonce le marché et vous rembourse l'argent.

— Vous ne vous moquez pas de moi, au moins ?

L'homme confirma ses dires par un serment solennel.

— Allons, décida Keawe, je veux bien tenter l'aventure, car je n'y vois point de mal. Et, ayant compté l'argent à l'homme, il se fit remettre le flacon.

— Diable de la bouteille, s'écria Keawe, rapporte-moi mes cinquante dollars !

Et, vrai comme je vous le dis, il avait à peine prononcé ces paroles que sa poche était aussi lourde qu'auparavant.

— Eh bien ! conclut-il en faisant sonner ses écus, vous avez là une merveilleuse bouteille.

— Elle est à vous, mon bel ami, et le plus grand service que vous puissiez me rendre, c'est celui de décamper à l'instant avec votre diable en poche.

— Holà ! repartit Keawe, les plaisanteries les meilleures sont les plus courtes. Reprenez votre bouteille, s'il vous plaît !

L'homme se frotta les mains.

— Vous l'avez achetée pour moins que je ne l'ai payée. Elle est à vous à présent. Quant à moi, je n'ai plus d'intérêt dans cette affaire et ne souhaite qu'une chose : vous voir déguerpir au plus vite.

Sur ce, il pressa sur un timbre et un boy apparut, lequel s'empressa de mettre le visiteur à la porte.

En se retrouvant dans la rue, la bouteille sous le bras, Keawe faisait triste mine. Il pensa : « Si tout ce qu'on m'a dit de cette bouteille est véridique, me voilà dans de jolis draps. Mais ne nous désolons point. L'homme n'a peut-être voulu que se gausser de moi. »

Il compta son argent ; rien n'y manquait. Il avait bien ses cinquante dollars en poche. « Ceci n'est pas un rêve, se dit-il. Tant qu'à faire, autant poursuivre l'expérience ! »

Dans ce quartier de la ville, les rues étaient aussi propres que le pont d'un croiseur et, bien qu'il fût environ midi, il n'y avait pas un passant en vue. Tout doucement, Keawe déposa la bouteille dans le ruisseau et s'en fut sans se presser. Par deux fois, il regarda en arrière ; le flacon ventru, couleur de lait, n'avait pas bougé. Jetant un dernier coup d'œil, Keawe s'éclipsa prestement au prochain coin de rue ; mais il n'avait pas plutôt tourné l'angle qu'il sentit quelque chose le frapper au coude. Pas d'erreur possible, le maudit flacon était là, dans la poche de sa vareuse, si bien coincé qu'il aurait eu du mal à l'y faire entrer lui-même. Le long goulot dépassait et c'était cela qui lui avait heurté le coude.

— Hum ! s'écria Keawe, on dirait bien que tout ceci est vrai.

Sans désemparer, il s'en fut acheter un tire-bouchon dans une boutique et gagna la campagne. Aussitôt qu'il eut trouvé un endroit favorable, à l'abri de tout regard indiscret, il essaya de déboucher le flacon, escomptant ainsi que le diable s'échapperait. Peine perdue ! Toutes les fois qu'il tentait d'extraire le bouchon, son outil sortait sans effort et le liège ne présentait pas la moindre égratignure. « Ce doit être une nouvelle espèce de liège », commenta Keawe et, tout à coup, il s'aperçut qu'il frissonnait et

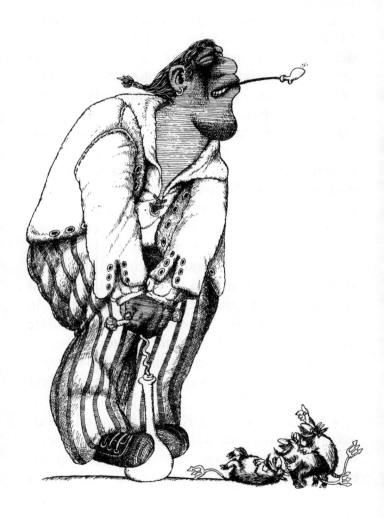

transpirait à grosses gouttes. Il avait peur de la bouteille.

En retournant au port, il aperçut une boutique où l'on vendait des coquillages exotiques, des casse-tête indonésiens, de vieilles idoles grimaçantes, des pièces de monnaie antiques, des estampes chinoises et japonaises, bref, tout ce genre de choses que les matelots rapportent dans leur coffre. Cela lui donna une idée. Il entra dans la boutique et y offrit sa bouteille pour cent dollars. Tout d'abord le commerçant ne fit que rire et lui en offrit généreusement cinq. Pourtant, à la réflexion, il s'avisa que c'était là un curieux objet. Jamais verre d'une telle qualité n'était sorti d'aucune verrerie terrestre ; il était si joliment irisé sous sa couleur laiteuse et si étrangement voltigeait cette ombre énigmatique dans le corps de la bouteille ! Aussi, après avoir marchandé quelque peu, selon la coutume de ses pareils, le boutiquier offrit à Keawe soixante dollars pour son bien et l'exposa sur une étagère, en plein milieu de sa vitrine.

« Maintenant, se dit Keawe, j'ai vendu pour soixante dollars ce qui m'en avait coûté cinquante. Nous allons voir si, sur ce point encore, l'homme de la maison ne ment pas. »

Il regagna son bateau et, sitôt descendu dans la cabine, il ouvrit son coffre. La bouteille était là et, pour sûr, elle avait fait le voyage plus vite que son maître. Or, notre voyageur avait un compagnon de bord du nom de Lopaka.

— Qu'as-tu donc, dit Lopaka, à regarder ton coffre avec des yeux tout ronds ?

Les deux hommes étaient seuls dans le gaillard d'avant et Keawe, après avoir fait jurer à son camarade de garder le secret, lui raconta toute l'affaire.

— Etrange histoire ! dit Lopaka. J'ai bien peur que cette bouteille ne te rapporte des ennuis. Malgré tout, il y a une chose qui est claire : tu sais à quoi t'en tenir sur ce qui t'attend. Aussi, je te conseille de profiter du marché. Essaie de voir clairement ce que tu désires. Donne tes ordres et si tu obtiens ce que tu avais souhaité, je te rachèterai l'objet car, pour ma part, je me suis mis en tête d'acquérir une goélette et d'aller trafiquer d'île en île.

— Très peu pour moi, répliqua Keawe. Ce qu'il me faut, c'est une belle maison avec un grand jardin sur la côte de Kona, mon pays natal, avec un rayon de soleil passant par l'entrebâillement de la porte, des fleurs dans le jardin, de belles vitres aux fenêtres, des tableaux aux murs, des bibelots et de beaux tapis sur les tables. Une maison tout comme celle où j'ai été reçu aujourd'hui, avec un étage de plus, pourtant, et des balcons tout autour comme dans le palais du roi. Toute mon ambition serait d'y vivre sans souci et d'y fêter mes amis et parents.

— Très bien, mon cher ! Rentrons à Hawaii avec ton flacon et si tout se réalise conformément à ton attente, je te le rachèterai et lui demanderai une goélette.

L'affaire ainsi conclue, il ne se passa pas longtemps avant que le navire eût rallié Honolulu, où débarquèrent un beau jour Keawe, Lopaka et la bouteille. Le trio était à peine descendu à terre qu'il rencontra sur la plage un ami, lequel se mit immédiatement à présenter à Keawe toutes ses condoléances. Celui-ci en fut fort surpris.

— Pourquoi des condoléances ? demanda-t-il.

— Ah, répondit l'ami, tu n'es donc pas au courant ? Ton oncle — ton bon vieil oncle — est mort, et ton cousin — ton beau cousin — s'est noyé en mer !

Keawe était fort affligé et commençait à

pleurer et à se lamenter si fort qu'il en oubliait sa bouteille. Lopaka, au contraire, méditait profondément et, sitôt que le chagrin de Keawe se fut un peu apaisé :

— Dis donc, s'écria-t-il, il me vient une idée. Ton oncle ne possédait-il pas des terres à Hawaii, dans le canton de Kau ?

— Non, mon cher, pas à Kau, mais dans la montagne, au sud de Hookena.

— Désormais, ces terres seront à toi, n'est-ce pas ?

— Bien sûr, bien sûr, opina Keawe en se lamentant derechef de la mort de ses proches.

Lopaka s'interposa encore.

— Allons, Keawe, assez de pleurs et de cris ! J'ai une idée. Qui sait si cela n'est pas l'œuvre de la bouteille ? N'est-ce point là l'endroit idéal pour bâtir ta maison ?

— S'il en est ainsi, sanglota Keawe, l'infernal flacon m'a joué un bien vilain tour en me tuant mes proches. Mais après tout, tu as peut-être raison, car c'est dans un site comme celui-là que j'ai vu en imagination ma future demeure.

— Elle n'est pas encore bâtie, observa Lopaka.

— Et elle n'est pas près de l'être, car, bien

que mon oncle ait possédé quelques planta-tions de café et de bananiers, le rapport n'en est pas grand et suffira tout juste à me mettre à l'aise. Quant au reste de la terre, ce n'est que de la lave, rien de plus !

— Allons toujours voir le notaire ! Quelque chose me dit que mon idée est bonne.

Or, quand les deux amis eurent consulté le notaire, il apparut que l'oncle de Keawe s'était enrichi fabuleusement dans les derniers temps de son existence et qu'il laissait un fort joli magot.

— Ah, ah ! s'écria Lopaka, voilà de l'argent pour bâtir ta maison...

— Si vous voulez faire construire une nou-velle maison, interrompit le notaire, permettez-moi de vous donner la carte d'un jeune archi-tecte, récemment établi et dont les gens disent monts et merveilles.

— De mieux en mieux ! s'exclama Lopaka. Tout s'éclaire pour nous. Nous n'avons plus qu'à suivre le chemin tracé.

Ainsi s'en furent-ils chez l'architecte et celui-ci avait une table à dessin surchargée de plans de maisons.

— Vous voulez, dit-il à Keawe, quelque

chose qui sorte de l'ordinaire. Que dites-vous de cela ?

Là-dessus, il lui tendit un plan.

Or, quand Keawe eut jeté un coup d'œil sur ce plan, il ne put s'empêcher de pousser un cri. C'était exactement ce qu'il avait rêvé. « Voilà ma maison, pensa-t-il. Bien sûr, je n'aime pas beaucoup la façon dont elle m'est échue, mais qu'y faire ? Je suis dans l'engrenage. Autant prendre les choses comme elles vous viennent. »

Alors il conta à l'architecte tout ce qu'il désirait et comment il entendait faire meubler son logis, quels tableaux il mettrait sur les murs, quels bibelots sur les tables. Ensuite, il demanda à l'artiste à combien il estimait le coût de toute la construction.

L'architecte posa maintes et maintes questions, prit sa plume et se livra à de longs calculs ; mais quand il eut fini, la somme qu'il réclamait était exactement égale à celle dont Keawe avait hérité.

Lopaka et Keawe se dévisagèrent en silence et hochèrent la tête. Keawe pensa : « La chose ne fait guère de doute ; me voici condamné, bon gré mal gré, à posséder une maison qui me vient du diable et je crains fort qu'elle ne me profite pas. Ce qu'il y a de sûr, c'est qu'on ne me reprendra plus à formuler le moindre désir. Prenons les choses comme elles nous viennent ! »

Aussi s'entendit-il avec l'architecte et il lui signa un contrat. Ensuite, Keawe et Lopaka reprirent la mer et cinglèrent vers l'Australie ; car ils avaient agréé qu'ils ne se mêleraient pas de la chose, mais laisseraient à l'architecte et au diable de la bouteille le soin de bâtir et de décorer cette maison comme ils l'entendraient.

La traversée fut bonne, bien que, pendant tout le temps qu'elle dura, Keawe se surveillât sans relâche, de peur de se parjurer en exprimant d'autres vœux et en sollicitant ainsi du démon d'autres faveurs. Vint enfin le moment de rentrer à Honolulu. L'architecte qu'ils visitèrent leur déclara que l'habitation était prête. Sur quoi, Keawe et Lopaka prirent le paquebot et s'en vinrent à Kona, afin d'inspecter la maison et de voir si elle correspondait à l'idée de Keawe.

Or, la demeure se dressait à flanc de coteau, bien visible de la mer. Au-dessus d'elle, la forêt se perdait dans des nuages de pluie ; en dessous, la lave noire dégringolait en falaises, ces falaises où tous les rois des anciens temps avaient leurs tombeaux creusés dans le roc.

Autour de la maison s'épanouissait un jardin aux fleurs multicolores ; il y avait un verger de papayers d'un côté, un verger de manguiers de l'autre, et, par-devant, face à la mer, on avait planté un grand mât avec un drapeau qui claquait au vent du large.

La maison, elle, était haute de trois étages, dont chacun comportait de vastes chambres et un large balcon. Les fenêtres étaient d'un verre si pur qu'il avait la clarté de l'eau et l'éclat du jour. Des meubles de toute espèce garnissaient les pièces. Des tableaux aux cadres dorés tapissaient les murs : on y voyait des bateaux de guerre et des scènes de bataille, de très belles femmes et des paysages mystérieux. Nulle part au monde on n'aurait pu contempler des toiles d'un coloris aussi brillant, et, pour ce qui était des bibelots, ils présentaient une qualité peu commune.

On voyait des pendules carillonnantes et des boîtes à musique, des magots chinois dodelinant de la tête, de beaux livres d'images, des armes venues de tous les coins du monde, des cubes et des jeux de patience les plus propres à égayer les loisirs d'un homme solitaire. Et, comme ces chambres étaient trop belles pour

que l'on pût songer à y vivre — elles étaient là pour être visitées et parcourues ! — les balcons avaient été construits si larges que toute la population d'une ville y aurait trouvé place. En effet, Keawe n'arrivait pas à savoir celui qu'il préférait et hésitait entre la terrasse de derrière où vous pouviez respirer la brise de terre, contempler les vergers et les massifs de fleurs, et le grand balcon de la façade où vous pouviez aspirer à pleins poumons le vent du large, regarder en bas des falaises abruptes et observer le paquebot qui reliait, une fois par semaine, Pele à Hookena, ou encore les goélettes qui longeaient les côtes en quête de cargaisons de bois et de bananes.

Après qu'ils eurent admiré le panorama, Keawe et Lopaka s'assirent sur la terrasse.

— Eh bien ! demanda Lopaka, est-ce bien tout ce que tu voulais ?

— Les mots me manquent pour exprimer ma joie, répondit Keawe, tout cela est encore plus beau que mon rêve et je défaille de satisfaction.

— Voilà qui est bel et bien, reprit Lopaka, mais il reste une chose à considérer. Il n'est pas impossible que pareille réussite ait des causes naturelles et que le diable de la bouteille n'y soit pour rien. Suppose que je t'achète ton flacon et que je n'arrive pas à avoir ma goélette. Je me serais damné sans profit. Je sais bien que je t'ai donné ma parole, mais j'espère que tu ne me refuseras pas de tenter une expérience.

— Pardon ! J'ai juré que je n'accepterais plus de faveur de la part du diable. Je me suis déjà assez compromis.

— Loin de moi l'idée de penser à quelque nouvelle faveur. Je n'ai envie que de voir ton démon. Cette curiosité est purement gratuite et nul ne pourrait nous la reprocher. Si cependant je pouvais apercevoir ce diable, je n'aurais plus de doute. Accorde-moi ce que je te demande et laisse-moi voir le démon. Après quoi, je t'achèterai l'objet. Regarde ! J'ai déjà l'argent en main.

— La seule chose qui me fait peur, répliqua Keawe, c'est que le démon est peut-être fort laid à voir et que si tu jetais les yeux sur lui une seule fois, tu n'aurais probablement plus très envie de la bouteille.

— Je suis homme de parole et, d'ailleurs, voici l'argent ! Posons-le sur la table, entre nous deux.

— Affaire entendue ! Aussi bien, j'ai une certaine curiosité, moi aussi. Allons, monsieur le Diable, montrez-vous, s'il vous plaît !

Ces mots n'avaient pas été plutôt prononcés que le diable jaillit de la bouteille pour s'y renfiler la seconde d'après. On eût dit d'un lézard qui sort de son trou et y rentre. La chose n'avait duré que l'espace d'un éclair, mais Keawe et Lopaka en avaient assez vu pour être atterrés. La nuit tomba avant que l'un ou l'autre eût trouvé quelque chose à dire ; alors, Lopaka poussa les pièces d'argent vers son compagnon et prit la bouteille.

— Je suis homme de parole, dit-il, et il faut bien que je le sois pour accepter ce flacon. Autrement, je ne voudrais pas le toucher du bout de mon pied. Allons ! Je vais essayer d'avoir ma goélette ainsi qu'un peu d'argent de poche, mais sitôt que cela sera fait, je veillerai à me débarrasser de ce diable au plus vite. Car, pour te dire la pure vérité, ce que j'ai vu de lui m'a confondu.

— Lopaka, reprit Keawe, je ne voudrais pas que tu me juges trop mal. Je sais qu'il fait nuit, que les routes sont mauvaises et que le passage sous le mur du cimetière n'est pas un endroit agréable pour les voyageurs attardés mais, je te le déclare, depuis que j'ai vu cette face démoniaque, il m'est impossible de manger, de dormir ou de prier tant qu'elle ne sera pas loin de moi. Je m'en vais te donner une lanterne et un panier pour y mettre la bouteille, et, si quelque tableau ou autre belle chose que tu vois chez moi peut te faire plaisir, tu n'as qu'à l'emporter. Mais je t'en conjure, va-t'en ! Va-t'en tout de suite retrouver à Hookena ta brave femme Nahinu !

— Keawe, voilà ce que bien des hommes ne te pardonneraient pas. Comment ! Je te rends un service d'ami en tenant ma promesse et en t'achetant ta bouteille et toi, tu me mets à la porte par une nuit obscure et des chemins dangereux, sachant bien que le passage le long du cimetière est dix fois plus à craindre lorsqu'on a un tel péché sur la conscience et une telle bouteille sous le bras. Cependant, pour ma propre part, je suis si terrifié que je n'ai pas le cœur de te blâmer. Je m'en vais donc en priant Dieu de te garder heureux et prospère dans ta maison et de me faire avoir ma goélette sans autre dommage. Puissions-nous tous deux aller en paradis malgré le diable et sa bouteille !

Ainsi Lopaka redescendit-il vers la mer et Keawe resta longtemps, sur son balcon, à écouter sonner les sabots du cheval sur la route et à voir se balancer la lanterne tout au long de la falaise aux mystérieuses cavernes, où gisent les os des anciens morts ; et, pendant tout ce temps-là, il tremblait et joignait les mains, priait pour le salut de son ami et rendait grâces à Dieu d'avoir pu, pour son propre compte, échapper à la damnation.

Le matin d'après, le temps était si lumineux et la nouvelle maison si charmante à voir que Keawe en oublia ses terreurs. Un jour suivant l'autre, Keawe acheva de s'y installer et vécut, pour lors, toujours dans la joie. Il affectionnait la terrasse de derrière. Il y mangeait et y vivait, lisait les faits divers dans les journaux d'Honolulu ; mais, quand il avait une visite, il emmenait son hôte dans les pièces de devant et lui faisait admirer son logis et ses tableaux.

La renommée de la maison s'étendait partout à la ronde. Dans tout Kona, on l'appelait « Ka-Hale-Nui », ce qui veut dire : la Grande Maison. D'autres fois aussi, on l'appelait le « Clair Logis », car Keawe avait un domestique chinois occupé tout le jour à épousseter et à astiquer, si bien que les vitres, les dorures, l'argenterie et les tableaux brillaient aussi clair que la lumière du matin. Quant à Keawe, il ne pouvait s'empêcher de chanter en arpentant son domaine. Son cœur se dilatait d'aise et quand des bateaux apparaissaient au large, il faisait hisser les couleurs au sommet du mât.

Ainsi passèrent les jours jusqu'à ce que Keawe s'en fût rendre visite à certains de ses amis dans le village de Kailua. On lui fit fête et on le régala mais, dès le matin suivant, aussitôt qu'il le put, le brave homme quitta ses hôtes et piqua des deux dans son impatience de retrouver sa belle demeure. Aussi bien, la nuit qui suivait était celle où les morts des anciens jours sortent de leurs tombes pour aller se promener dans les chemins de la falaise et, comme Keawe avait déjà eu affaire avec le diable, il ne tenait pas trop à rencontrer des fantômes.

Il avait à peine dépassé Honaunau qu'il aperçut au loin, droit devant lui, une femme qui se baignait dans la mer. Elle semblait jolie et bien faite, mais il n'y prêta pas autrement attention. Ensuite, il vit flotter sa blanche chemise tandis qu'elle se rhabillait, puis ce fut son bel holokoo rouge. Quand il arriva enfin à sa hauteur, la jeune femme avait terminé sa toilette et s'en revenait de la mer. Elle s'immobilisa au bord du sentier pour laisser passer le cavalier et Keawe ne put s'empêcher de la remarquer. Dans son vêtement écarlate, au sortir de son bain, elle était d'une délicieuse fraîcheur et ses yeux brillants reflétaient la bonté. Keawe s'arrêta court.

— Je croyais connaître tout le monde dans ce pays, dit-il, comment se fait-il que je ne t'aie jamais vue ?

La jeune fille répondit :

— Je me nomme Kokua et suis fille de Kiano. Je rentre tout juste d'Oahu. Et toi, qui es-tu ?

— Je te le dirai tout à l'heure, répondit Keawe en mettant pied à terre, car j'ai idée que si tu savais qui je suis, tu pourrais avoir eu vent de mon histoire et me répondre par un mensonge. Mais avant toute autre chose, laisse-moi te poser cette question : es-tu mariée ?

A ces mots, Kokua eut un éclat de rire.

— Est-ce à toi, dit-elle, de poser pareille question ? Tu es bien indiscret ! Et toi, es-tu marié ?

— Par ma foi, Kokua, je suis encore garçon et n'aurais jamais pensé au mariage si je ne t'avais vue. Mon cœur est sincère. Dès que je t'ai aperçue sur le bord de ce chemin, dès que j'ai contemplé tes yeux pareils à des étoiles, mon cœur s'est envolé vers toi comme un oiseau quitte sa branche. Maintenant, si tu

penses que tu m'as assez vu, dis-le-moi et je m'en irai tout de suite ; mais si tu ne me juges pas plus mal tourné que tout autre jeune homme, dis-le-moi aussi, et alors je me détournerai de mon chemin pour demander l'hospitalité à ton père avec qui je parlerai demain matin.

Kokua garda le silence ; elle regardait la mer et n'arrêtait pas de rire.

— Kokua, reprit Keawe, qui ne dit mot consent ; emmène-moi chez ton père.

Elle prit les devants, toujours muette. Seulement, de temps à autre, elle jetait un coup d'œil furtif en arrière et, rêveusement, mordait la bride de son large chapeau.

Or, lorsqu'ils s'en furent venus à la porte de la demeure, Kiano apparut sur les marches de la véranda et appela Keawe par son nom en lui souhaitant la bienvenue. En entendant cela, la jeune fille dressa l'oreille, car la renommée de la Grande Maison était parvenue jusqu'à elle. Pour sûr, la tentation était forte. Toute cette soirée-là, on fit la fête dans la maison de Kiano et Kokua se conduisit sous les yeux de ses bons parents avec la dernière impertinence, brocardant Keawe sans arrêt, car la petite futée avait l'esprit vif. Le lendemain matin, le jeune homme eut une entrevue avec le père de sa belle, puis il s'en fut la trouver à un moment où elle était seule.

— Kokua, lui dit-il, tu n'as pas cessé de te moquer de moi de toute la soirée. Il est encore temps de me renvoyer. Si je n'ai pas voulu te dire mon nom, c'est à cause de ma belle maison et parce que je craignais que tu fusses plus attirée par elle que par l'homme dont tu as ravi le cœur. A présent, tu sais tout, et si tu penses que tu m'as assez vu, tu n'as qu'à le dire tout de suite.

— Non pas, murmura Kokua ; cette fois-ci elle ne riait plus. Discrètement, le jeune homme s'éclipsa.

Keawe avait couru droit au fait, et les choses étaient allées vite mais la flèche vole et la balle d'un fusil va plus vite encore, ce qui n'empêche ni l'une ni l'autre d'atteindre leur but. Les choses étaient allées bon train, mais elles étaient allées loin aussi et la jeune fille ne rêvait plus qu'à Keawe à présent.

Elle entendait sa voix dans la houle qui se brise sur les falaises de lave, dans le vent de la mer qui fait voler les embruns. Pour ce jeune homme qu'elle avait à peine entrevu, elle aurait quitté ses père et mère ainsi que son île natale. Quant à l'heureux gaillard, il éperonna son cheval sur le sentier de la montagne, passa au triple galop le long de la falaise aux sépulcres, et le bruit de ses sabots, le son de sa voix fredonnant un air joyeux, se répercutèrent dans les cavernes funéraires. Toujours chantant, il arriva au Clair Logis. Il s'assit et mangea sur le large balcon et le domestique chinois contempla, fort étonné, son maître qui chantait entre deux coups de fourchette. Le soleil descendit dans la mer et la nuit tomba, mais Keawe se fit apporter une lampe et arpenta son balcon toute la soirée, tandis que son chant réveillait l'écho des montagnes et surprenait les matelots en mer.

« Me voici maintenant au comble de mes vœux, se répétait-il. La vie ne peut pas être plus belle ; je suis au sommet de la montagne ! Tous les chemins ne peuvent que redescendre. Allons illuminer toutes les chambres du Clair Logis, nous baigner pour la première fois dans la belle baignoire avec ses robinets d'eau chaude et d'eau froide, puis dormir seul dans le lit de la chambre nuptiale ! »

Il fit lever son domestique chinois pour qu'il allumât la chaudière et le Jaune, occupé en bas à faire le feu, entendit son maître chanter et se réjouir dans les chambres du haut toutes illuminées. Quand l'eau commença à être chaude, le Chinois avertit Keawe. Celui-ci passa dans la salle de bains où le Chinois l'entendit toujours chanter, tandis que se remplissait la baignoire de marbre. Il chantait encore en se déshabillant ; mais soudain, la chanson s'arrêta. Le Chinois dressa l'oreille, mais il eut beau écouter, son maître ne chantait plus. Que s'était-il donc passé ? Le domestique s'en fut frapper à la porte de la salle de bains pour demander à Keawe si tout marchait bien, et Keawe lui répondit d'aller se coucher. Tout de même, le Clair Logis était devenu étrangement silencieux ; pendant toute la nuit, le Chinois entendit son maître arpenter pieds nus les balcons de la maison.

Que s'était-il passé ? C'était bien simple. Au moment où il se déshabillait pour prendre son bain, Keawe avait brusquement remarqué une petite tache grise sur sa poitrine et cette petite tache ressemblait à un lichen sur la face d'un rocher. C'est alors qu'il avait cessé de chanter, car il savait ce que ce signe voulait dire. Un malheur terrible lui était arrivé : la lèpre !

Avoir la lèpre est pour tout homme une bien triste chose, mais c'est chose encore plus triste d'être, pour cette raison, obligé de renoncer à une belle et spacieuse demeure, d'avoir à quitter tous ses amis, toutes ses connaissances pour aller vivre sur la côte nord de Molokai, entre les hautes falaises et les brisants. Pire que tout était toutefois le destin du malheureux Keawe, car n'avait-il pas rencontré hier soir l'épouse de son cœur, reçu ce matin même son consentement ? Or, il voyait à présent tous ses espoirs réduits en miettes. Ainsi se brise d'un seul coup, en mille fragments, une belle pièce de cristal !

Pendant quelques minutes, l'infortuné resta assis sur le bord de sa baignoire ; puis il bondit, poussa un cri et s'en fut hors de la salle de bains ; et, dès lors, de long en large, inlassablement, il se mit à arpenter son balcon comme un désespéré.

Il pensait : « Passe encore de quitter Hawaii, le pays de mes pères ; passe encore de quitter ma maison, ma maison haut placée, ma maison aux multiples fenêtres, ma belle maison dans la montagne ! Bravement, m'en irais-je à Molokai, puis à Kalaupapa en suivant le sentier des falaises afin de vivre avec les lépreux et de dormir dans leur camp, loin de mes pères. Mais quel mal ai-je donc fait, quel péché pèse sur ma conscience pour que le destin ironique

m'ait laissé rencontrer Kokua, sortie toute fraîche des vagues de la mer dans la clarté du soir ? Kokua, enchanteresse de mon âme ! Kokua, lumière de ma vie ! Jamais elle ne sera ma femme, jamais je ne pourrai la contempler, jamais je ne pourrai la caresser de ma main amoureuse. C'est à cause de tout cela, et c'est à cause de toi, ô Kokua, que mon âme se lamente ! »

Or, il vous faut observer que Keawe était un homme d'une trempe bien particulière ; il aurait pu habiter le Clair Logis pendant des années et des années sans que personne soupçonnât sa maladie, mais cela ne lui disait plus rien dès lors qu'il devait renoncer à Kokua. D'un autre côté, il aurait pu épouser Kokua sans lui révéler son mal ; et il est bien des hommes qui auraient agi ainsi, car beaucoup ont des âmes de pourceaux. Keawe, en revanche, était chevaleresque, aimait sa fiancée comme un homme doit le faire ; aussi ne voulait-il pas lui causer le moindre mal et lui apporter le moindre danger.

Vers le milieu de la nuit, le souvenir de la bouteille lui traversa l'esprit. Il s'en fut à la terrasse de derrière et évoqua le jour où le démon lui était apparu. A cette pensée, son sang se glaça dans ses veines. « Cette bouteille, pensa-t-il, est une terrible chose, et terrible aussi est le démon ; terrible également le risque des flammes de l'enfer. Mais quel autre espoir me reste-t-il de guérir mon mal et d'épouser Kokua ? Eh quoi ! J'aurais tenté le diable une première fois, rien que pour me procurer une maison et je renoncerais à le faire une seconde pour posséder Kokua ? »

Sur ces entrefaites, il se rappela que le paquebot passait le lendemain en direction d'Honolulu. « C'est là qu'il me faut d'abord aller, décida-t-il. Je retrouverai Lopaka, car, à présent, mon seul espoir est de rentrer en possession de cette bouteille dont je fus si heureux d'être débarrassé. »

De toute la nuit, il ne put fermer l'œil ni avaler la moindre nourriture, mais il fit tenir une lettre à Kiano et quand l'heure du bateau fut venue, il monta à cheval et prit le chemin de la falaise aux sépulcres. Il pleuvait ; sa monture avançait à contrecœur. Quant à lui, il regardait béer les noires cavernes et enviait les morts qui y dormaient. Eux au moins n'avaient plus de soucis ! De même, il se rappelait la joie avec laquelle il avait passé par là, au grand galop, pas plus tard que la veille, et cela l'étonnait profondément.

Ainsi descendit-il à Hookena, où il vit tous les badauds de l'endroit assemblés, selon leur coutume, au débarcadère. Ils étaient assis sous le hangar, devant le magasin, discutant les nouvelles et échangeant des plaisanteries. Mais Keawe n'avait le cœur de parler ni de rire. Aussi prit-il place au milieu d'eux, regardant distraitement la pluie tomber sur les maisons du port, et la houle se briser contre les récifs. Il poussait de gros soupirs.

« Keawe du Clair Logis est bien mélancolique », se confiaient les badauds ; et, certes, on l'eût été à moins !

Alors le paquebot arriva et un canot conduisit notre homme à son bord. L'arrière du navire était bondé de Blancs qui s'en étaient allés visiter le volcan, selon leur habitude. Des Canaques se bousculaient sur le pont des troisièmes, et l'avant, vrai parc à bétail, était rempli de buffles venus de Hilo et de chevaux en provenance de Kau. Keawe, pourtant, restait assis à part, tout à son chagrin ; il regardait au loin, cherchant des yeux la maison de Kiano. Il la découvrit à la longue, très basse sur le rivage au milieu des roches noires. Un cocotier l'ombrageait et, de-ci de-là, devant le porche d'entrée, on voyait voltiger une petite tache rouge, pas plus grosse qu'une mouche et aussi active qu'elle.

« Ah ! Reine de mon cœur, soupira Keawe, c'est pour te conquérir que je vais risquer le salut de mon âme ! »

Bientôt après, la nuit tomba, les cabines s'illuminèrent et les Blancs se mirent à jouer aux cartes et à boire du whisky, selon leur habitude. Mais l'infortuné arpenta le pont toute la nuit ; au matin, comme le paquebot passait sous le vent de l'île Maui ou Molokai, on le voyait encore aller et venir comme un lion en cage.

Dans l'après-midi de cette même journée, le bateau doubla le cap Diamant et aborda au quai d'Honolulu, juste au moment du crépuscule.

Keawe s'écarta de la foule pour s'enquérir de Lopaka. On lui raconta qu'il avait fait l'acquisition d'une goélette — elle n'avait pas sa pareille dans tout l'archipel — et qu'il s'en était allé courir l'aventure dans les parages de Pola-Pola ou de Kahiki. Ainsi, de ce côté, pas d'aide possible. Alors Keawe se remémora un de ses amis, un notaire dont je ne dois pas dire le nom, et s'enquit de son adresse. On lui conta que l'homme était devenu riche d'un seul coup et qu'il possédait une belle maison neuve sur la plage de Waikiki. Ce renseignement lui mit la puce à l'oreille et, appelant un cocher, il lui commanda de le conduire à la maison du notaire.

C'était une maison toute neuve et les arbres du jardin n'étaient pas plus grands que des cannes. Le notaire, quant à lui, avait l'air prospère et réjoui.

— Qu'y a-t-il pour votre service ? demanda-t-il à Keawe.

Celui-ci répondit :

— Vous êtes un ami de Lopaka, n'est-ce pas ? Eh bien, Lopaka m'a jadis acheté certain objet dont vous pourriez peut-être m'aider à retrouver la trace.

Le visage souriant du notaire prit une gravité inattendue. Il dit :

— Je ne prétends pas ne pas vous comprendre, monsieur Keawe, encore que l'affaire en question soit passablement nauséabonde. Je n'ai pas d'indications précises, vous pouvez en être sûr, mais quelque chose me dit que si vous vous adressiez à une certaine personne, vous

pourriez peut-être obtenir des renseignements sur ce qui vous intéresse.

Alors, il donna le nom d'un homme sur lequel je préfère encore garder le secret.

Au cours des jours qui suivirent, Keawe rendit de nombreuses visites et, partout, il trouvait des habits neufs et des voitures neuves, de belles maisons neuves aussi, ainsi que des hommes très satisfaits d'eux-mêmes, encore que, par ma foi, chacun d'entre eux devînt très grave au premier mot qu'il leur touchait de son affaire.

« A n'en point douter, pensait Keawe, je suis sur la bonne piste. Ces habits neufs et ces voitures neuves sont tous et toutes des cadeaux du démon et ces visages hilares sont des visages d'hommes qui ont tiré profit de leur aubaine et se sont, en temps opportun, débarrassés du maudit objet. Quand je verrai des joues creuses et que j'entendrai des soupirs, je saurai que la bouteille n'est plus très loin. »

Le hasard voulut enfin qu'on le recommandât à un Blanc qui habitait Beritania Street. Lorsqu'il atteignit sa porte, vers l'heure du dîner, il constata encore une fois que la maison était neuve, le jardin récemment planté et la lumière électrique installée dans toutes les pièces. Cependant, à l'arrivée du propriétaire, un frisson d'espoir et de crainte parcourut tout le corps de Keawe. Devant lui, il y avait un jeune homme, aussi blanc qu'un cadavre, avec des cernes violets sous les yeux, des cheveux retombant sur le front et un tel air de misère dans toute sa physionomie qu'on eût dit d'un condamné attendant de monter au gibet. « Nous y sommes », pensa Keawe, et il alla droit au but :

— Je suis venu pour acheter la bouteille, dit-il.

A ces mots, le jeune Blanc de Beritania Street chancela et s'appuya contre le mur.

— La bouteille ! haleta-t-il. Vous voulez acheter la bouteille ?

Alors on eût dit qu'il allait suffoquer ; pourtant, saisissant Keawe par le bras, il l'emmena dans la salle à manger, prit deux verres dans un buffet et les remplit de vin.

— A votre santé, dit Keawe, qui connaissait les usages des Blancs à force de les avoir fréquentés. Eh oui, monsieur, je suis venu acheter la bouteille. Combien vaut-elle à présent ?

En entendant cela, le jeune homme laissa son verre s'échapper de sa main ; il regarda Keawe comme on regarde un fantôme.

— Ce qu'elle vaut ! balbutia-t-il, ce qu'elle vaut ! Vous ne savez pas ce qu'elle vaut ?

— Bien sûr que non, puisque je vous le demande ! Allons, pourquoi avez-vous l'air si soucieux ? Y a-t-il quelque chose qui cloche dans le prix de cet objet ?

— C'est que... Voyez-vous... monsieur... monsieur Keawe... C'est que... Il a bien baissé depuis votre temps !

— Bien, bien ! Le marché ne sera que plus avantageux. Combien l'avez-vous payée vous-même ?

Le jeune homme devint blanc comme un linge.

— Deux « cents », dit-il.

— Quoi, s'écria Keawe, deux « cents » ? Mais alors, vous ne pouvez la vendre que pour un « cent » ? Et celui qui l'achètera...

Les mots s'étranglèrent dans son gosier. L'homme qui l'achèterait ne pourrait jamais plus la revendre. Le flacon maudit et le diable qui l'habitait devraient rester sa propriété jusqu'à l'heure de sa mort et, quand il mourrait, il irait tout droit en enfer.

Le jeune homme de Beritania Street se jeta à genoux.

— Pour l'amour de Dieu, achetez-la-moi. Je vous donne toute ma fortune par-dessus le marché. J'étais fou quand j'ai consenti à cet achat ! J'avais dérobé de l'argent dans la caisse de mes patrons. Sans cela, j'aurais été perdu ! Les gendarmes m'auraient mis en prison !

— Pauvre créature ! s'écria Keawe. Pour éviter quelques années de cellule, bien méritées d'ailleurs, vous avez compromis le salut de votre âme ! Et vous croyez que j'hésiterais lorsque j'ai à choisir entre l'amour et la damnation. Donnez-moi la bouteille et la monnaie que vous avez toute prête, je gage. Voici une pièce de cinq « cents ».

C'était bien cela. Le jeune homme avait la monnaie toute prête dans un tiroir. La bouteille changea donc de mains et les doigts de Keawe s'étaient à peine refermés sur le goulot qu'il suppliait le démon de le guérir de la lèpre.

Pour sûr, il ne fut pas long pour rentrer à la maison, où, précipitamment, il se déshabilla devant sa glace. Guéri ! Complètement guéri ! Sa peau était aussi nette que celle d'un nouveau-né ! Mais alors, il se produisit en lui un changement étrange ; il n'eut pas plutôt contemplé ce miracle qu'il sentit son cœur indifférent à la lèpre et assez peu épris de

Kokua. Il n'y avait plus place en lui que pour cette pensée : « Me voici lié pour l'éternité au diable de la bouteille et je grillerai à jamais dans les flammes de l'enfer ! »

Déjà, il voyait venir à sa rencontre un embrasement gigantesque et son âme défaillait, ses yeux se fermaient à la lumière du jour.

Quand Keawe sortit de son évanouissement, le soir était venu. Il savait qu'il y avait concert au Grand Hôtel. Il s'y rendit, tant il craignait d'être seul. Là, au milieu de tous ces gais visages, il marcha de long en large, écoutant la musique croître et décroître et voyant le maestro Berger battre la mesure. Mais il avait beau faire ! Pendant tout ce temps, les flammes infernales crépitaient à son oreille et le feu qui rougeoie dans l'insondable abîme brûlait devant ses yeux. Soudain l'orchestre se mit à jouer une vieille chanson qu'il avait naguère chantée avec Kokua. Ce refrain lui rendit son courage.

« Ce qui est fait est fait, pensa-t-il. Prenons une fois de plus les choses comme elles viennent. »

Aussi s'en retourna-t-il à Hawaii par le premier bateau et, aussitôt qu'il le put, il épousa

Kokua pour l'emmener vivre avec lui dans le Clair Logis, au flanc de la montagne.

Et maintenant, il en était ainsi de ce couple que, lorsqu'il se trouvait aux côtés de sa jeune épouse, Keawe ne sentait pas sa crainte ; mais dès qu'elle le quittait, il tombait dans une méditation effrayante, entendait les flammes crépiter et voyait rougeoyer le feu de l'insondable abîme. Et pourtant il pouvait être fier de sa jeune femme. Elle s'était donnée toute à lui, son cœur bondissait en elle dès qu'elle le voyait, sa main cherchait la sienne ; elle était si bien faite, de la racine de ses cheveux aux ongles nacrés de ses orteils, que nul homme n'aurait pu la voir sans éprouver de la joie. Elle était aussi d'une nature charmante. Elle avait toujours une bonne parole à dire, toujours un refrain aux lèvres. Elle trottinait de-ci de-là, dans le Clair Logis, en gazouillant comme un oiseau. Keawe la regardait et l'écoutait avec délice et puis, dès qu'elle était partie, il pleurait et gémissait en pensant à quel prix il l'avait achetée. Force lui était bien d'étancher ses larmes, de se laver la figure et d'aller s'asseoir avec Kokua sur un des larges balcons pour chanter avec la jeune femme et, le cœur malade, répondre à ses sourires.

Il vint pourtant un jour où le pas de Kokua se fit plus lourd et ses chansons plus rares. Dès lors, Keawe ne fut plus seul à pleurer à l'écart, mais chacun des deux époux se sépara l'un de l'autre pour aller s'asseoir sur deux balcons opposés avec toute la largeur du Clair Logis entre eux deux.

Keawe était si absorbé dans son désespoir qu'il s'aperçut à peine du changement, heureux seulement d'avoir un peu plus de temps pour méditer sur sa destinée et de ne pas être si fréquemment contraint de voiler son angoisse par un sourire. Un jour, toutefois, tandis qu'il traversait la maison à pas feutrés, il entendit comme une voix d'enfant qui pleurait : Kokua était là, prosternée sur le balcon, sanglotant éperdument. Il dit :

— Kokua, tu n'as pas tort de pleurer dans cette demeure, et pourtant je me serais fait couper la tête pour que toi, du moins, puisses être heureuse.

— Heureuse, sanglota-t-elle ! Oh, Keawe ! Lorsque tu vivais seul au Clair Logis, ton bonheur était passé en proverbe ; tu chantais et riais sans cesse et ton visage était aussi brillant que le soleil du matin. Ensuite tu as épousé la pauvre Kokua et le bon Dieu seul sait ce qui te déplaît en elle, car, depuis ce temps-là, tu n'as plus jamais souri. Oh, Keawe ! Pourquoi ne m'aimes-tu plus ? Je pensais être jolie et je croyais pourtant t'aimer. Qu'ai-je fait pour jeter un tel nuage sur le front de mon époux ?

— Pauvre Kokua ! murmura-t-il.

Il s'assit à côté d'elle et essaya de lui prendre la main, mais elle le repoussa.

— Pauve Kokua, répéta-t-il. Pauvre petite enfant ! Mon seul trésor ! Et moi qui avais pensé t'épargner tout cela ! Je vais tout te dire. Et alors, du moins, prendras-tu en pitié ton malheureux Keawe ; tu comprendras à quel point il t'a aimée — au point de défier l'enfer pour l'amour de toi — et combien il t'aime encore — le pauvre damné — pour être capable de sourire lorsqu'il te regarde.

Là-dessus, il lui raconta son histoire du commencement à la fin.

— Comment, s'écria-t-elle, tu as fait cela pour moi ? Oh, que je suis fière ! Que je suis fière !

Alors elle l'enlaça et sanglota contre sa poitrine.

— Ah, ma petite ! murmura-t-il, tu peux être fière, certes, mais quand je vois le feu de l'enfer, c'est moi qui ne le suis pas !

— Ne me dis pas cela ! Nul homme ne peut être damné rien que pour avoir aimé Kokua plus que lui-même. Je te le dis, Keawe, je te sauverai de mes propres mains ou alors je périrai avec toi. Quoi ! Tu m'as aimée et tu as donné ton âme pour moi, et tu penses que je ne mourrais pas pour sauver la tienne ?

— Ah, ma chérie, tu pourrais bien mourir une centaine de fois, et cela ne changerait rien à l'affaire, sauf, évidemment, que tu me laisserais seul à attendre l'heure de ma damnation !

— Tu es un ignorant, Keawe. Moi, j'ai été élevée dans une grande école à Honolulu et ne suis pas une fille de rien. Je te le dis ! Je sauverai mon époux. D'abord que me chantes-tu avec ces histoires de dollars et de « cents » ? Le monde n'est pas encore tout à fait américain. Dans leur pays, les Anglais ont une piécette qu'ils appellent « farthing », laquelle représente à peu près un demi-cent. Hélas ! cela n'arrange guère les choses, car l'acheteur est sûr de sa damnation et personne, à part mon Keawe, n'est assez brave pour affronter le diable ; mais j'y suis, il y a la France ! Les Français ont de toutes petites pièces de cuivre qu'ils appellent « centimes » ; il en faut cinq au moins pour faire un cent américain. La solution est toute trouvée. Allons, Keawe, partons pour Tahiti, prenons le premier paquebot qui y mène ! Là-bas, nous avons quatre occasions de vendre la bouteille : quatre centimes, trois centimes, deux centimes, un centime ; et puis nous serons deux à faire l'article. Allons, mon Keawe ! Embrasse-moi et cesse de te tourmenter ! Kokua saura bien te défendre.

Le jeune homme ne se sentait plus de joie.

— C'est Dieu qui t'a donnée à moi, s'écriat-il, tu es un bienfait de Dieu et je ne puis penser qu'il me punira pour avoir désiré une telle récompense. Qu'il soit fait selon ta volonté ! Emmène-moi où tu voudras, je remets ma vie et mon salut entre tes mains.

Le jour suivant, à l'aube, Kokua se mit à ses préparatifs. Elle prit le coffre de marin avec lequel son époux s'en allait jadis en voyage. D'abord, elle rangea la bouteille dans un coin et puis empaqueta les plus riches de leurs vêtements et les plus beaux bibelots de la demeure. « Car, disait-elle, nous devons donner l'impression d'être très fortunés ; autrement, personne ne croirait à la bouteille ! »

Tant que durèrent ces préparatifs, elle fut aussi gaie que l'oiseau.

Seulement, lorsqu'elle levait les yeux sur

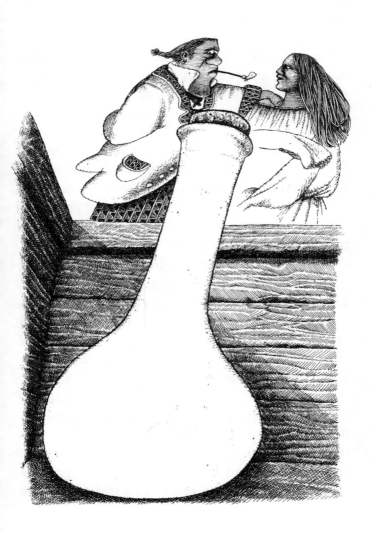

Keawe, les larmes perlaient à ses longs cils et alors elle éprouvait un besoin instinctif de courir l'embrasser. Lui, par contre, se sentait grandement soulagé. Maintenant qu'il avait confié son secret et qu'il voyait devant lui quelque espoir, il paraissait tout transformé. Son pas était devenu plus léger et son cœur ne battait plus si fort dans sa poitrine. Il n'était plus oppressé et pourtant la terreur était encore là, toute proche. De temps à autre, de même que le vent éteint une bougie, l'espoir mourait dans son cœur et il ne voyait plus que l'enfer béant devant lui et de grandes flammes qui essayaient de l'atteindre.

Le couple, sur son départ, fit courir le bruit qu'il s'en allait en vacances aux États-Unis. Les gens trouvèrent la chose étrange et, pourtant, elle était moins étrange que la vérité ; si quelqu'un avait pu deviner !

Ainsi gagnèrent-ils Honolulu et, de là, San Francisco, au milieu d'une foule de Blancs. Arrivés à San Francisco, ils s'embarquèrent sur le brick postal *L'oiseau des Tropiques,* à destination de Papeete, capitale française des îles d'Océanie.

Ils y arrivèrent après une traversée agréable par bon vent alizé et virent apparaître le banc de récifs coralliens, tout blancs d'écume, les palmiers de Motuiti, la goélette à l'ancre dans la lagune de cet atoll et puis, enfin, les blanches maisons de la ville épandues sur le rivage, au milieu d'un fouillis d'arbres verts que dominaient les montagnes et les nuages de Tahiti, l'île des sages.

Ils estimèrent préférable de louer une maison juste en face du consulat britannique. Ainsi, leur luxe serait plus en vue et chacun remarquerait leur belle voiture et leurs beaux chevaux. C'était là chose facile à réaliser, tant qu'ils auraient la bouteille en leur possession. Kokua, plus hardie que son époux, ne se faisait pas scrupule de demander au diable de petites subventions de vingt à cent dollars. A ce régime, les deux époux ne tardèrent pas à être connus. Bientôt, les deux Hawaiiens, leur équipage et leurs montures, les beaux holokoos et la riche dentelle de Kokua défrayèrent la rumeur publique.

Le dialecte tahitien, à part quelques différences vocaliques, est très semblable au hawaiien. Ainsi, les deux époux n'eurent pas beaucoup de peine à l'apprendre, et, aussitôt qu'ils purent le parler librement, ils commencèrent à proposer la bouteille.

Ce n'était certes pas une marchandise facile à placer ; il est très malaisé de persuader les gens de votre sérieux quand vous prétendez leur vendre une source inépuisable de santé et de richesse pour quatre malheureux centimes. Et puis il fallait encore mettre l'acheteur éventuel au courant des risques et alors, ou bien les gens restaient incrédules et se moquaient de vous, ou bien ils s'avisaient du caractère diabolique de l'affaire, prenaient un air grave et s'écartaient de Keawe et de Kokua comme de personnes ayant partie liée avec le démon.

Aussi, loin de gagner du terrain, le couple s'aperçut graduellement de la méfiance qu'il inspirait dans la ville ; du plus loin qu'ils apercevaient les étrangers, les enfants se sauvaient en hurlant, chose intolérable pour Kokua ; les catholiques se signaient et tous ceux qui leur avaient fait des avances commençaient à leur battre froid.

Ils en furent accablés. Il leur arrivait fréquemment, après une longue journée de démarches inutiles, de rester assis, sans un mot, sous la véranda de leur nouvelle demeure et, dans le silence, Kokua éclatait soudain en sanglots. Tantôt ils priaient ensemble, tantôt ils sortaient la bouteille et la mettaient sur le parquet, puis passaient toute la soirée à voir voltiger l'ombre à l'intérieur. Alors ils avaient tellement peur qu'ils n'osaient plus aller se coucher. Dans tous les cas, ils ne s'endormaient guère avant les premières heures du matin et, si par hasard l'un d'eux somnolait, il était réveillé par les sanglots étouffés de l'autre, à moins que, sortant brusquement de sa torpeur, il ne constatât que son conjoint s'était enfui hors de la chambre, pour éviter le voisinage de cette bouteille, et qu'il faisait les cent pas sous les bananiers du petit jardin ou le long de la plage tout argentée de lune.

C'est ainsi qu'une nuit Kokua se réveilla et constata que Keawe n'était plus à son côté. Elle étendit la main et s'aperçut que sa place était froide. Alors elle prit peur et se mit sur son séant.

Le clair de lune filtrait à travers les lattes des persiennes. Il faisait assez clair dans la pièce et elle pouvait voir la bouteille sur le parquet. Dehors le vent sifflait, les grands arbres de l'avenue grinçaient et les feuilles mortes bruissaient dans la véranda. Au milieu de tout ce bruit, Kokua crut entendre un autre son. Que ce fût le cri d'une bête ou celui d'un homme, voilà ce qu'elle n'aurait pu dire, mais il était triste comme la mort et cela lui meurtrit l'âme. Doucement, elle se leva, entrouvrit la porte et regarda dans le jardin, baigné de lune. Là-bas, sous les bananiers, Keawe gisait face contre terre et le malheureux poussait de sourds gémissements.

La première idée qui lui vint à l'esprit fut de se précipiter vers son époux, afin de le consoler. Mais elle se ravisa bien vite. Par-devant sa femme, Keawe s'était toujours conduit en homme courageux ; il eût été inconvenant pour elle de le surprendre dans un moment de faiblesse, de s'imposer pour ainsi dire à sa honte. Cette pensée la fit précipitamment rebrousser chemin.

« Grand Dieu ! pensa-t-elle, que j'ai été étourdie ! Que j'ai été faible ! Ce n'est pas moi, mais lui qui court le danger d'être éternellement damné, ce n'est pas moi, mais lui qui a pris à sa charge cette épouvantable malédiction. C'est pour moi seule, pour l'amour d'une petite créature si insignifiante et si incapable de l'aider qu'il s'est dangereusement approché des flammes de l'enfer, qu'il en respire la fumée, tandis qu'il gît là-bas, tout seul dans le vent et le clair de lune ! Suis-je donc assez stupide pour ne m'être pas encore rendu compte jusqu'à présent de mon devoir ou pour m'en être détournée lorsque je l'apercevais ? Mais maintenant, du moins, je veux sacrifier mon âme à mon affection, je veux dire adieu aux blanches marches du ciel et aux visages de tous les chers morts qui m'y attendent. Amour pour amour, le mien doit égaler celui de Keawe ! Une âme en vaut une autre ! Que ce soit donc à la mienne de périr ! »

Kokua était une femme qui ne lanternait guère et elle eut tôt fait de s'habiller. Elle prit la monnaie, ces précieux centimes qu'ils gardaient toujours par-devers eux (car ces piécettes sont peu utilisées et ils avaient dû en faire provision à la recette des Finances) et puis elle gagna la porte.

Elle était à peine sortie dans l'avenue que des nuages vinrent sur les ailes du vent et que la lune en fut obscurcie. La cité dormait ; elle ne savait pas trop de quel côté aller, lorsque enfin elle entendit quelqu'un qui toussait dans l'ombre des arbres.

— Vieillard, dit Kokua, que fais-tu dehors par une nuit aussi froide ?

D'une voix entrecoupée par sa toux opiniâtre, le vieillard raconta à l'indiscrète qu'il était vieux et pauvre, au demeurant étranger à l'île.

— Veux-tu me rendre service ? demanda Kokua. D'étranger à étrangère et de vieil homme à jeune femme ? Veux-tu donner ton aide à une fille de Hawaii ?

— Ah, ah ! Je te reconnais maintenant, tu es la sorcière des Huit Iles et tu voudrais bien capturer ma vieille âme dans ton filet. J'ai entendu parler de toi, mais je me moque de tes maléfices.

— Allons, assieds-toi un peu. Prends patience et laisse-moi te conter mon histoire.

Alors elle lui confia l'odyssée de Keawe sans en omettre un détail, puis elle conclut :

— Et voilà ! C'est moi qui suis sa femme, cette femme qu'il a achetée au péril de son âme. Que dois-je faire ? Si je m'en allais à lui en lui offrant d'acheter la bouteille, il ne voudrait pas en entendre parler. Mais si c'est toi qui vas le trouver, il sera content de te la vendre. Je vais t'attendre ici. Tu achèteras l'objet pour la somme de quatre centimes et je te le rachèterai pour trois. Que le Seigneur protège une pauvre femme !

— Si tu me trompes, dit le vieillard, Dieu te fera mourir sur place.

— Je n'en doute pas, s'écria Kokua. Dieu ne souffrirait pas que je sois si perfide.

— Alors, donne-moi les quatre centimes et attends-moi ici.

Le vieillard partit et quand Kokua se retrouva seule dans la rue, elle se sentit profondément accablée. Le vent rugissait dans les branches et elle semblait entendre les flammes de l'enfer ; les ombres dansaient à la lumière du réverbère et elle croyait voir les mains avides des démons. Si elle en avait eu la force, elle se fût enfuie et si elle avait eu du souffle, elle aurait poussé de grands cris ; mais, en vérité, elle était incapable de rien faire, sauf de trembler de tous ses membres comme un enfant perdu.

Bientôt, elle vit revenir le vieil homme ; il tenait la bouteille dans sa main.

— J'ai fait selon ta volonté, lui dit-il, et j'ai laissé ton mari dans les larmes. Ce soir, il dormira tranquille.

Sur ce, il lui tendit la bouteille. Kokua pantela.

— Ne me la donne pas encore, pauvre vieillard, mais fais-en d'abord ton profit. Demande à être délivré de ta toux.

— Je suis d'un grand âge, répliqua l'homme, et trop proche des portes de la tombe pour accepter une faveur du démon. Mais qu'as-tu ?

Pourquoi ne veux-tu pas prendre cette bouteille ? Hésiterais-tu ?

— Non, non, je n'hésite pas. Je me sens seulement un peu faible. Accorde-moi un instant de répit. C'est ma main qui résiste, ma chair tout entière qui recule devant ce maudit objet. Rien qu'un instant, un tout petit instant !

Le vieillard regarda Kokua avec bonté :

— Pauvre petite, dit-il, tu as peur ! Ton âme est dans le doute. Allons ! Laisse-moi garder cette bouteille, je suis tout cassé et ne serai plus jamais heureux en ce bas monde. Quant à celui qui le suit...

— Pas de blasphèmes ! donne-moi vite ce flacon ! Crois-tu donc que je serais assez vile... Donne-moi ce flacon, te dis-je !

Le vieil homme hésita, puis tendant la bouteille à la jeune femme :

— Tiens, dit-il, et Dieu te bénisse, ma pauvre enfant !

Kokua dissimula la bouteille dans son corsage, prit congé du vieil homme et s'en fut le long de la rue. Où ? Cela lui était bien égal à présent, tous les chemins se valaient pour elle, puisque, de toute façon, ils menaient à l'enfer. Tantôt elle marchait, tantôt elle courait ; tantôt encore elle poussait de grands soupirs dans la nuit et tantôt elle se couchait au bord du chemin, se roulant dans la poussière et pleurant des larmes brûlantes. Elle se remémorait tout ce qu'on lui avait dit de l'enfer ; elle en voyait rougeoyer les flammes, elle en respirait la fumée sulfureuse, elle sentait déjà sa chair torturée grésiller, se recroqueviller sur les charbons.

A l'aube, elle reprit un peu de sang-froid et s'en revint au logis. Le vieil homme avait dit vrai : Keawe dormait comme un petit enfant. Kokua s'immobilisa à son chevet et contempla son visage :

— Ah ! mon mari, soupira-t-elle, c'est maintenant ton tour de dormir et, quand tu te réveilleras, ce sera ton tour de chanter et de rire ! Mais pour la pauvre Kokua, la pauvre Kokua qui ne pensait pourtant pas à mal, il n'y aura, hélas ! plus de repos, plus de chansons, plus de plaisirs, que ce soit dans ce monde ou dans l'autre.

Sur ces entrefaites, elle s'étendit sur le lit, aux côtés de son époux, et sa misère était si grande qu'elle tomba instantanément dans un profond sommeil.

Tard dans la matinée, son mari la réveilla pour lui faire part de l'heureuse nouvelle. On l'eût dit fou de joie ; il ne s'aperçut pas même de la détresse de sa compagne, détresse si peu dissimulée qu'elle eût dû lui crever les yeux. Elle ne parlait pas, mais Keawe parlait pour deux. Elle ne mangeait pas, mais Keawe mangeait pour deux. Kokua voyait et entendait son mari, mais comme on voit et comme on entend les créatures d'un rêve. A certains moments, elle oubliait ou doutait et elle se prenait la tête entre ses deux mains. Se savoir damnée et entendre son époux l'assourdir de paroles lui paraissait chose si monstrueuse !

Pendant tout ce temps, Keawe travaillait de la langue et de la fourchette, organisait leur voyage de retour, remerciait sa femme de l'avoir sauvé, la cajolait et l'appelait sa petite collaboratrice. Il se gaussait aussi du vieillard qui avait été assez sot pour acheter la bouteille.

— En apparence, admit-il, il avait l'air bien brave, mais peut-on juger sur les apparences. Je me demande pourquoi ce vieux brigand avait besoin de cette bouteille ?

— Oh, mon époux ! répondit humblement Kokua, il avait peut-être de bons motifs.

Keawe se mit à rire d'une voix de fausset, comme un homme en colère.

— Balivernes ! s'écria-t-il, c'est un vieux fripon, je te le dis, et un vieil imbécile par-dessus le marché. Pour quatre centimes, la bouteille était déjà difficilement vendable. Que sera-ce pour trois ? Jamais il n'arrivera à s'en débarrasser, il n'y a plus assez de marge. Ça commence à sentir le roussi. Brrr... (ce disant il frissonnait). A dire vrai, je l'ai moi-même achetée pour un cent américain, tout en sachant bien (et je le croyais alors) qu'il n'y avait pas de pièces plus petites. J'ai été dupe, mais il y a quelqu'un qui l'est plus que moi et le propriétaire actuel du flacon ne l'emportera certainement pas en paradis !

— Oh, mon époux ! s'interposa Kokua. N'est-ce point chose terrible que d'assurer son salut par la damnation d'une autre créature ? A ta place je ne rirais pas. Je me ferais très humble. Je serais tout mélancolique et je prierais pour le malheureux possesseur du flacon.

Keawe, parce qu'il sentait que sa femme avait raison, se mit dans une plus violente colère :

— Taratata ! s'écria-t-il, repais-toi de mélancolie si cela te chante. Mais ce n'est pas là le fait d'une bonne épouse. Si tu avais de l'affec-

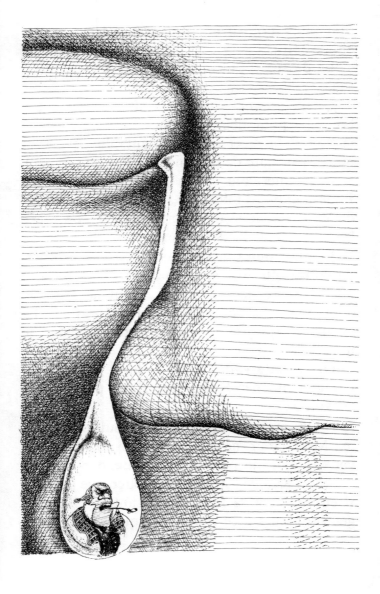

tion pour moi, tu ne prendrais pas cet air de chien battu.

Là-dessus il quitta les lieux et Kokua resta seule.

Quelle chance avait-elle de vendre cette bouteille pour deux centimes ? Aucune ! Elle le voyait bien, et cela d'autant plus que son mari avait hâte de la ramener dans un pays où le cent américain est la pièce la plus basse. Pour comble d'infortune, le lendemain même du jour où elle s'était sacrifiée à lui, son mari la grondait et la délaissait.

Elle ne voulut même pas essayer de profiter du temps qui lui restait, mais garda la maison où, en guise de distraction, il lui arrivait de contempler la bouteille avec terreur pour la cacher ensuite dans le coin le plus reculé, la nausée aux lèvres.

Dans l'intervalle, Keawe rentra au logis et voulut emmener Kokua faire une promenade en voiture.

— Oh, mon époux ! dit-elle, je suis souffrante. Mon cœur ne va pas bien. Excuse-moi, veux-tu ? Je ne puis prendre aucun plaisir.

Alors Keawe fut plus courroucé que jamais. Il en voulut à sa femme, pensant qu'elle songeait toujours à ce vieillard et que c'était là un travers morbide. D'autre part, il s'en voulait à lui-même, car en un certain sens, Kokua avait raison et il avait honte d'être aussi heureux.

— Est-ce là ta fidélité et ton affection ? gronda-t-il. Ton mari vient tout juste d'échapper à la mort éternelle, mort qu'il avait affrontée par amour de toi, et tu prétends ne pouvoir prendre aucun plaisir ! Kokua, ton cœur est perfide.

Exaspéré, il quitta derechef la maison et s'en fut vagabonder tout le jour par la ville. Il rencontra des amis et but avec eux ; puis, ils louèrent une voiture et allèrent se promener à la campagne où ils burent encore. Pendant tout ce temps, Keawe était mal à l'aise, car il se donnait du plaisir tandis que sa femme était triste et il savait pertinemment que c'était elle qui avait raison. La conscience de sa culpabilité le poussait à boire d'autant plus copieusement.

Or il se trouvait, parmi les fêtards, un vieux Blanc brutal qui, ancien maître d'équipage à bord d'un baleinier, avait déserté son navire pour se faire chercheur d'or. Condamné aux galères, on ne savait au juste pour quelle raison, il s'était évadé ou avait été gracié. Il avait l'esprit vil et la bouche grossière. Il aimait à boire et à faire boire les autres. Il pressait Keawe de vider son verre. A force de libations, la compagnie n'eut bientôt plus un sou vaillant.

Alors le maître d'équipage poussa un juron et cria :

— Dis donc, l'ami. Tu es riche, s'pas ? Tu nous l'as toujours dit. C'est-y vrai que t'as une bouteille merveilleuse ou un engin comme ça ?

— Oui, dit Keawe, je suis riche, je vais rentrer à la maison et demander à ma femme de me donner de l'argent.

Le maître d'équipage eut un bruyant éclat de rire.

— Non, mais des fois, t'es pas maboul de confier tes dollars à un jupon. Les femmes, ça vaut pas cher ! Toutes aussi fausses les unes que les autres. Tu f'rais pas mal de surveiller la tienne, des fois qu'elle te trompe !

Le tromper ! Keawe, dans son ivresse, fut obsédé par cette suggestion. Il faut dire qu'il n'avait pas les idées très nettes. Il pensa : « Ma foi ! il n'y aurait rien d'étonnant à cela. Comment expliquer autrement la façon bizarre dont elle a accueilli ma délivrance ? Pourquoi a-t-elle été si abattue ? Mais, pas moins, je vais lui montrer qu'on ne se moque pas de moi. Je vais la prendre en flagrant délit. »

C'est pourquoi, lorsqu'ils furent de retour à la ville, Keawe demanda au maître d'équipage de l'attendre au coin de la rue, sous le mur des anciennes prisons, puis il remonta l'avenue, seul, jusqu'à la porte de sa demeure.

C'était à nouveau la nuit. On voyait une lumière à l'intérieur, mais on n'entendait aucun bruit et Keawe, contournant la maison à pas de loup, ouvrit en tapinois la porte de derrière et jeta un coup d'œil dans l'appartement. Ce qu'il vit l'atterra : Kokua gisait étendue sur le parquet, la lampe à côté d'elle. Devant elle, il y avait une bouteille d'un blanc laiteux, à ventre rond et à long col ; et toutes les fois qu'elle la contemplait, Kokua se tordait les mains.

Keawe resta longtemps immobile à regarder dans l'entrée. D'abord, il en était resté stupide et puis l'angoisse, une angoisse atroce, s'était de nouveau emparée de lui. Le marché avait-il été mal conclu, et la bouteille lui était-elle revenue comme jadis à San Francisco ? A cette idée, il se sentit flageoler sur ses jambes et les vapeurs généreuses de l'ivresse s'envolèrent de sa tête comme se dissipent, au matin, les brouillards d'une rivière. Et puis il eut une autre pensée, une pensée étrange qui lui fit monter au front le rouge de la honte.

« Je veux en avoir le cœur net », pensa-t-il.

Alors il ferma la porte, tourna prestement le coin de la maison, puis revint en affectant de faire beaucoup de bruit, comme s'il rentrait au logis sans se douter de rien. Kokua l'avait entendu venir et quand il ouvrit la porte d'entrée, la bouteille n'était plus là. Assise dans un fauteuil, la jeune femme tressaillit comme si on venait de l'éveiller.

— J'ai passé toute la journée à boire et à bambocher, déclara Keawe. J'ai trouvé de bons compagnons et, maintenant, je viens chercher de l'argent pour continuer la fête.

Son visage et sa voix étaient sévères, mais Kokua était trop préoccupée pour le remarquer.

— Oh, mon époux ! dit-elle, use de ton bien comme tu l'entendras.

Sa voix était très douce, mais elle tremblait.

— Ah, ah ! J'ai donc toujours raison, repartit Keawe qui s'en alla directement au coffre pour y prendre de l'argent. Mais il eut beau l'inspecter et regarder attentivement dans le

coin où l'on avait coutume de mettre la bouteille, elle n'y était plus.

Devant cette constatation, Keawe fut pris de vertige. Il vit le coffre tanguer sur le plancher comme un navire sur les vagues, tandis que les murs de la maison semblaient osciller autour de lui. Cette fois-ci, il était bel et bien perdu : il n'échapperait pas à son destin. Il pensa : « C'est bien ce que je craignais, Kokua l'a rachetée. »

Il reprit possession de ses sens et se leva ; mais la sueur lui ruisselait du front et cette sueur était aussi froide que l'eau d'un puits.

— Kokua, dit-il, je t'ai parlé brutalement aujourd'hui. Maintenant, il faut que je rejoigne mes gais compagnons (il eut un petit rire tranquille). Je trouverai plus de plaisir à boire si tu veux bien me pardonner.

En un moment, elle fut à ses pieds et lui enlaça les genoux ; elle était tout en larmes.

— Peu importe, s'écria-t-elle, je ne te demandais qu'une bonne parole.

— Kokua, dit-il, n'ayons jamais d'injustes pensées l'un pour l'autre. Sur ces mots, il la quitta.

Or, l'argent que Keawe avait emporté se montait seulement à quelques pièces d'un centime. Le jeune homme n'avait pas l'intention de boire, certes non, mais comme sa femme avait donné son âme pour le salut de la sienne, il lui fallait maintenant donner son âme à lui pour le salut de sa femme. Aucune autre pensée n'occupait son esprit.

Au coin de la rue, sous le mur des anciennes prisons, le maître d'équipage attendait.

Keawe lui dit :

— Pas de veine, mon vieux ! C'est ma femme qui a la bouteille et si tu ne m'aides pas à la récupérer, nous n'aurons plus d'argent et plus rien à boire.

— Tu plaisantes ! Cette histoire de bouteille n'est pas sérieuse.

— Viens sous la lampe et dis-moi si j'ai la mine d'un homme qui plaisante !

— Ça n'en a pas l'air. Vrai ! Tu es aussi sérieux qu'un spectre !

— Voilà, l'ami, je te donne ces deux centimes. Ne t'étonne de rien et va trouver ma femme à la maison. Tu lui offriras ces deux centimes en échange de la bouteille. Je me tromperais beaucoup si elle ne te la donnait pas séance tenante. Rapporte-la-moi et je te la rachèterai pour un centime, car il en est ainsi de ce flacon : on ne peut le vendre que pour un prix inférieur à celui auquel on l'a acheté. Quoi que tu fasses pourtant, garde-toi surtout de dire que tu viens de ma part.

Le maître d'équipage, au comble de l'étonnement, dévisageait son compagnon, les yeux ronds :

— Dis donc, vieux, est-ce que tu te fiches de moi ?

— Essaie toujours, tu verras bien après !

— D'accord ! J'y vais.

— Je te le répète, ajouta Keawe, tu n'as qu'à essayer. Aussitôt que tu seras sorti de la maison, exprime le désir d'avoir des sous plein ta poche ou une bouteille du meilleur rhum ou tout ce que tu voudras, et tu verras si cela ne réussit pas.

— D'accord, canaque ! Je veux bien essayer, mais si tu cherches à me faire marcher, je te passe un cabillot à travers le corps.

Alors le baleinier remonta l'avenue et Keawe l'attendit patiemment. L'endroit était à peu près le même que celui où Kokua avait attendu la nuit précédente, mais Keawe avait encore plus de résolution que sa femme et ne s'écartait jamais de son but. Seulement, son âme était pleine d'amertume et de désespoir.

Le temps lui sembla long avant qu'il entendît une voix avinée chantant dans l'avenue ténébreuse. Il reconnut la voix du maître d'équipage. Il avait dû s'attarder pour aller boire quelque part. Jamais il n'avait chanté plus faux.

L'instant d'après, l'homme apparaissait, titubant, à la lumière du réverbère. Le goulot de la bouteille diabolique dépassait de sa poche de veston ; il tenait en main une autre bouteille et buvait à la régalade. Keawe s'écria :

— Tu as la bouteille ! Tu l'as ?

Mais le matelot fit un saut en arrière.

— Bas les pattes, mon vieux ! Un pas de plus et je te casse le portrait. Ah, ah, tu as voulu me prendre pour un gogo, hein ?

— Mais non ! Quelle mouche te pique ?

— Quelle mouche me pique ? cria l'ivrogne d'une voix de stentor. Quelle mouche me pique ? Tout simplement que j'ai bien envie de garder cette bouteille. Elle a du bon, tu sais. Du diable si j'arrive à comprendre pourquoi j'ai pu l'avoir pour deux centimes ! Mais je suis sûr que tu ne l'auras pas pour un.

Keawe pantela :

— Tu ne veux donc pas me la revendre ?

— Non, môssieur, mais je peux te faire boire un bon coup de rhum, si ça te chante.

— Ecoute, raisonna Keawe, je te préviens que l'homme qui possède cette bouteille va tout droit en enfer.

— Autant là qu'ailleurs, mon gars. En tout cas, cette bouteille est le meilleur bagage pour un type comme moi.

Il reprit son souffle et hurla :

— Non, môssieur, la bouteille est à moi à présent. Débrouille-toi et va t'en pêcher une autre !

— Est-ce possible ? s'exclama Keawe. Mais tu cours à ta perte ! Pour ton propre salut, je t'en supplie, revends-la-moi !

— Je me fiche de tes histoires. Tu m'as pris pour une andouille, hein ? Eh bien, tu vois que j'en suis pas une. Et v'là le bout, on s'en fout. Si tu veux pas te rincer la dalle avec ce rhum, je vais le faire moi-même. A ta santé, mon gars. Bien le bonsoir !

Titubant, il descendit l'avenue en direction de la ville et, depuis lors, nul ne l'a revu. La bouteille non plus !

Quant à Keawe, vous pouvez être certain qu'il ne tarda pas à aller retrouver Kokua et grande fut leur joie ce soir-là. Grande aussi, depuis lors, fut la paix de leurs jours dans la félicité du Clair Logis.

COLLECTION FOLIO JUNIOR

DÉJÀ PARUS

Folio Junior, c'est aussi cinq séries :
Poésie, Énigmes, Légendes, Science-Fiction et Bilingue.

*Achevé d'imprimer
le 26 octobre 1987
sur les presses de
l'Imprimerie Hérissey
à Évreux (Eure)*

*N° d'imprimeur : 43871
Dépôt légal : Octobre 1987
1ᵉʳ dépôt légal dans la même collection : Septembre 1978
ISBN 2-07-033067-2*

Imprimé en France

42135